别让伤害
靠近你
教孩子辨别、远离
隐性伤害

不！我不喜欢这种玩笑

遇到隐性霸凌怎么办？

[美] 阿曼达 · F. 多林　著　[美] 西蒙娜 · 希恩　绘　杨惠　译

中信出版集团 | 北京

写在前面的话

霸凌行为对施受双方都会产生不良的影响。霸凌不应是成长的一部分。要制止霸凌，儿童和成人都需要认清什么是霸凌行为，并及时合理地去应对。

隐性霸凌有时并不容易识别，它关乎所处关系中（比如同学之间）的综合力量对比。漠视、排挤、开恶意玩笑、令人当众出糗，都是隐性霸凌的表现。

本书既适合孩子自己阅读，也适合家长读给孩子听。阅读本书时，问问孩子是否曾目睹、遭受或实施过隐性霸凌，并鼓励孩子谈论自己的类似经历。比如问问孩子：对于杰米的遭遇和他得到的建议，你是怎么想的？你能发现隐性的霸凌并及时应对吗？

每年夏天，我都和特里、悉尼一起参加夏令营。这次我特别开心，因为我们仨住同一间小屋！不过后来又有个叫泰勒的新伙伴，也跟我们住一块儿。

泰勒爱开玩笑爱装酷，可有时候，他的玩笑不好玩，反而令人觉得很刺耳。

昨天我告诉泰勒，我参加夏令营的钱是自己卖糖果和杂志挣来的，结果吃午饭的时候，他就跟大家说，杰米可真穷啊，得靠卖糖果挣钱。

听到有人咯咯笑，我一下子脸红了，起身离开了餐桌。

“开个玩笑嘛！”泰勒在身后叫我，哈哈笑着。

吃过饭，泰勒把特里和悉尼拉到一边说悄悄话，不一会儿，他们都朝我走过来。

“杰米，泰勒说去营地的商店给大家买冰激凌吃，”悉尼说，“你也来吧？”

“我的钱可不够买四人份的哟，”泰勒说，“所以你要是想来，就得自己掏钱。”

停了一下，他又说：“哦，不过你那么穷，应该买不起吧。”说完对我耸耸肩：“不好意思哟！”

他们三个走开了，剩下我一个人。

不是打骂才叫霸凌，有些人爱排挤人，并唆使别人一同来排挤，这也是霸凌。

不一会儿，他们回来了，一边吃着冰激凌，一边小声地说笑。

我想专心看书，可我心里又羞又恼，七上八下，压根儿看不进去。特里和悉尼明明是我的朋友啊，泰勒为什么要针对我呢？

他们坐在泰勒的床铺上，特里叫我：“杰米，过来一起玩啊。”

“是啊杰米，”泰勒说，“来讲讲你身为穷光蛋的故事吧。”

我面向墙壁，假装看书，可我实在忍不住了，呜呜哭了起来。

“呀，只是开个玩笑！”泰勒叹了一口气说道，“你也太经不起玩笑了吧。”

玩笑有时候很有趣，但有时候也会过火。当你觉得有些玩笑或戏弄令你伤心、恼怒时，可以请对方住口。

今天，我们要给爸爸妈妈写明信片。

但是特里、悉尼和泰勒什么也不写，光在那儿嘻嘻哈哈，窃窃私语。

突然他们都不说话了，我抬头一看，悉尼瞪了我一眼，特里看上去想哭，泰勒一脸坏笑。我问特里和悉尼怎么回事，可他们俩都不理我。

“你知道吧，”泰勒说，“你不该说特里身上臭。”

我还没来得及说话，他们仨就起身走了。

我从没说过特里臭啊！

有些霸凌者爱说长道短或散播谣言。他们靠揭短和造谣诱导其他孩子一同讨厌或欺负某人。

晚上的篝火晚会，特里和悉尼对我视而不见，尽管我就挨着他们坐着！

他们叽叽喳喳，谈论着我们周末要进行的大露营活动。

“我们就住三人帐篷，”泰勒说，“你和特里跟我住。”悉尼点头同意。

“那杰米怎么办呢？”我听见特里小声地问悉尼。

泰勒翻了个白眼儿。“得了吧特里，”他说，“难道你想跟说你坏话的人做朋友？”

“坏话？”我大声说，“我没有说过你臭，特里！”

可他们还是对我不理不睬，我觉得又伤心又沮丧，只好走开了。

早上，没有人跟我一起吃早餐。午餐，我又是独自一人。

我感到好孤单。

回屋时，我看到好多人挤在门口。一见我过来，有些人开始咯咯笑，还有些人低头散开了。

门上贴着一张我第一次参加夏令营的照片，照片里，我一边抱着心爱的泰迪熊，一边吮吸着手指。不知谁在上面写了字：尿床宝宝。

我扭头逃开，拼命地跑。

特里找到我。“什么事？”我嘟囔着问。

“我想跟你说对不起，”特里说，“作为你的朋友，我本该向着你的。是我不好，我就是担心要是替你说话了，泰勒也会拿我取乐。”

“我没有说过你臭，”我说，“我是绝不会说你坏话的。”

“现在，我知道了。”特里抱歉地对我笑着。

那些目睹霸凌的人叫作旁观者。旁观者如果挺身而出，就可能制止霸凌。当你看到别人挨欺负时，应及时制止，或者寻求大人的帮助。

回小屋的路上，我俩看到令人吃惊的一幕：悉尼正对着泰勒发火！

“你怎么能从我这里偷走那张照片！”悉尼吼道，“我真不该拿给你看！”

“冷静点儿！”泰勒笑着说，“不过是个玩笑嘛。”

“泰勒，有时候你的玩笑太过分了，一点儿也不好笑！”悉尼说。

悉尼走到我们跟前：“杰米，照片的事，我真的非常抱歉，希望我们还是朋友。”

悉尼觉得，我们应该把泰勒的言行跟大人说说。我们找到营地的辅导员琼，把泰勒做的过分事儿都一五一十地告诉了她，琼认真地听着。

“我很高兴你们来找我，”琼说，“跟朋友开开玩笑可能是种乐趣，可有时候，玩笑太过，就会伤害朋友。甚至有些人会以开玩笑为由，故意说些刺伤人的话，那是不对的。开恶意玩笑和为了伤害他人或让人难堪而传谣的行为，都是欺负人。”

之前我从没这样想过，不过听上去很有道理。跟琼聊过之后，我好受多了。

能为自己或别人挺身而出是很棒的，不过小孩子不应该独自“应战”，最好是找一位自己信任的大人，他能制止霸凌行为，并给每个人提供适当的帮助。

琮把泰勒调到别的屋子去了，之后，我就很少看见他了。从此特里和悉尼也离他远远的。

因为欺负人，泰勒被罚不准参加露营。我和特里、悉尼玩得特别开心。

这个夏天并不完美，但收尾时非常欢乐。而且，我们都得到了宝贵的教训，那就是：有时候，玩笑并不好玩。

关于隐性霸凌你必须知道的事

- 不是打骂才叫霸凌，有些人爱排挤人，并唆使别人一同来排挤，这也是霸凌。

- 玩笑有时候很有趣，但有时候也会过火。当你觉得有些玩笑或戏弄令你伤心、恼怒时，可以请对方住口。

- 有些霸凌者爱说长道短或散播谣言。他们靠揭短和造谣诱导其他孩子一同讨厌或欺负某人。

- 那些目睹霸凌的人叫作旁观者。旁观者如果挺身而出，就可能制止霸凌。当你看到别人挨欺负时，应及时制止，或者寻求大人的帮助。

- 能为自己或别人挺身而出是很棒的，不过小孩子不应该独自“应战”，最好是找一位自己信任的大人，他能制止霸凌行为，并给每个人提供适当的帮助。

亲爱的小朋友，如果你读完这本书，怀疑或者发现自己遇到了隐性霸凌，一定要及时告诉爸爸妈妈。爸爸妈妈是最爱你的人，他们会全力帮助你，做你最温暖的港湾和最坚强的后盾。

图书在版编目（CIP）数据

不！我不喜欢这种玩笑：遇到隐性霸凌怎么办？/（美）阿曼达·F. 多林著；（美）西蒙娜·希恩绘；杨惠译. -- 北京：中信出版社，2018.8（2024.4 重印）
（别让伤害靠近你：教孩子辨别、远离隐性伤害）
书名原文：Sometimes Jokes Aren't Funny: What to Do About Hidden Bullying
ISBN 978-7-5086-8571-7

Ⅰ. ①不… Ⅱ. ①阿… ②西… ③杨… Ⅲ. ①儿童故事—图画故事—美国—现代 Ⅳ. ① I712.85

中国版本图书馆 CIP 数据核字（2018）第 021021 号

不！我不喜欢这种玩笑：遇到隐性霸凌怎么办？
（别让伤害靠近你：教孩子辨别、远离隐性伤害）

著　　者：[美]阿曼达·F.多林
绘　　者：[美]西蒙娜·希恩
译　　者：杨　惠
出版发行：中信出版集团股份有限公司
（北京市朝阳区东三环北路27号嘉铭中心　邮编　100020）
承 印 者：当纳利（广东）印务有限公司

开　　本：500mm × 965mm　1/16　　印　　张：2　　字　　数：30千字
版　　次：2018年8月第1版　　印　　次：2024年4月第19次印刷
京权图字：01-2016-3282
书　　号：ISBN 978-7-5086-8571-7
定　　价：35.00元

出　　品：中信儿童书店
图书策划：小飞马童书
策划编辑：白雪
责任编辑：温慧
营　　销：中信童书营销中心
封面设计：韩莹莹　谢佳静
内文排版：李艳芝

服务热线：400-600-8099
投稿邮箱：author@citicpub.com